Le grand livre des Farces et Attrapes

Faites attention aux petits logos:

Soyez prudent en utilisant les allumettes ou les bougies.

Ne testez pas cette activité sur des personnes trop émotives.

Photos : Alain Fisch
Textes, illustrations, créations : Véronique Guillaume

Le grand livre des Farces et Attrapes

Véronique Guillaume

casterman

SOMMAIRE

Help !

Ah, ah, ah !

Hé...

Hi, hi, hi !!

Oh...

Beurk...

Hi, hi, hi !!!

Hi, hi, hi !!!

Oh !

Ah, ah, ah !

FARCES
CULINAIRES

Beurk, beurk !

Help !

Ah, ah, ah !

Super...

Hé...

ZWAN LE CHIEN

« POUR AMÉLIORER VOS COCKTAILS ET DONNER DU CHIEN À VOS ZAKOUSKI, VOICI UNE RECETTE QUI N'ABOIE PAS MAIS QUI PAR CONTRE SE LAISSE MORDRE. »

4 Coupez une saucisse en deux dans le sens de la longueur et fixez les moitiés comme oreilles de chaque côté de la tête. Si le cure-dents est trop grand, cassez-le en deux.

1 À l'aide de cure-dents, fixez sous le cervelas quatre saucisses pour les pattes.

5 À l'autre bout du cervelas, piquez la dernière saucisse cocktail pour la queue.

2 Prenez une saucisse pour la tête et faites une découpe latérale pour l'ouverture de la bouche. Enfoncez deux clous de girofle au niveau des yeux et un au niveau du museau. Utilisez une demi-saucisse pour le cou.

3 Avec un cure-dents, fixez le cou et la tête au restant du corps.

Comment fait-on aboyer un chat ?
– Soit on lui donne de l'eau et il la boit.
– Soit on verse de l'essence dessus, on allume une allumette, on la jette dessus et ça fait « Whouf- Whouf. »

Comment fait-on miauler un chien ?
On le met au réfrigérateur toute une nuit, puis on le sort et avec une tronçonneuse on le découpe.
Et ça fait : « Miauw - Miauw. »

6 Dans le poivron, découpez une langue et passez-la dans la bouche du toutou.

7 Dans un morceau de gruyère, sculptez un petit os, cela sera du plus bel effet dans votre assiette.

Pour le petit chien, procédez de la même façon mais remplacez le cervelas par une saucisse de Francfort.
Posez le chien dans une assiette et garnissez avec de la verdure.

> **Un homme rentre chez lui.
> Son énorme chien lui saute dessus,
> l'attrape par une jambe et le traîne
> jusqu'à la penderie…**
> *– Tous les soirs, c'est la même chose!
> Il n'a jamais compris que je lui demandais
> d'apporter mes pantoufles
> et pas l'inverse!*

AU PAYS DES ŒUFS

« AU PAYS DES ŒUFS, ON NE FAIT PAS D'OMELETTE, MAIS ÉCLOSENT DES SOURIS GUILLERETTES, DES LAPINS 'MYXOMATEUX', DES CHAMPIGNONS VÉNÉNEUX. »

LAPIN

1 Coupez la base de l'œuf. Plantez deux grains de poivre pour les yeux et un triangle de radis pour le museau. Piquez quatre brins de ciboulette pour la moustache.

CHAMPIGNON

1 Pelez l'œuf, coupez légèrement la base pour le rendre stable. Ensuite lavez une tomate, coupez-la en deux et videz l'intérieur à l'aide d'une petite cuillère.

2 Posez la demi-tomate sur l'œuf et avec un tube de mayonnaise, faites de petites taches de mayonnaise sur la coupole du champignon.

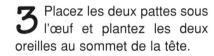

2 Prenez la carotte, lavez-la et coupez des tranches de quelques millimètres d'épaisseur. Découpez deux pattes sous l'œuf et plantez les deux oreilles au sommet de la tête.

3 Placez les deux pattes sous l'œuf et plantez les deux oreilles au sommet de la tête.

> C'est quoi une flaque d'eau avec une carotte au milieu ?
> *Un bonhomme de neige à côté d'un radiateur.*

SOURIS

1 Coupez deux rondelles de radis et terminez chacune d'elles par une pointe afin de les planter aisément dans l'œuf.

2 Piquez deux grains de poivre pour les yeux et six brins de ciboulette pour les moustaches à l'autre bout de votre souris, plantez un long brin de ciboulette pour la queue.

POIVRONLOWEEN

IL VOUS FAUT

- un beau poivron bien stable
- une bougie chauffe-plats
- un cutter ou un couteau
- une cuillère
- un marqueur

« POUR PIMENTER VOS SOIRÉES ET ÉCLAIRER À LA BOUGIE VOS CLOWNERIES, UN POIVRON EST AUSSI BON QU'UN POTIRON. »

3 Placez la bougie à l'intérieur du poivron, allumez-la et replacez le « couvercle ». Vous devrez sans doute régler la hauteur de la mèche afin que la flamme ne brûle pas le couvercle du poivron.

1 Choisissez un beau grand poivron, découpez le dessus et videz-le.

2 Dessinez au marqueur les yeux, le nez et la bouche sur une des faces du poivron. Ensuite, procédez à la découpe.

CASSE-CROÛTE

IL VOUS FAUT

- pain de mie en tranches
- tomate
- œuf dur
- fromage en tranches (gouda…)
- ketchup
- cornichons
- câpres

« UNE GROSSE FRAYEUR POUR UN PETIT CREUX. »

Jean-Marie entre dans un restaurant et demande :
– *Avez-vous de la choucroute au chocolat ?*
– *Non*, dit la serveuse.
Le lendemain, Jean-Marie revient au restaurant :
– *Avez-vous de la choucroute au chocolat ?*
– *Non*, dit la serveuse, *je suis désolée.*
Le lendemain, Jean-Marie revient encore :
– *Avez-vous de la choucroute au chocolat ?*
– *Non*, dit encore la serveuse, *je suis vraiment désolée.*
Le soir, la serveuse dit au cuisinier :
– *Faisons de la choucroute au chocolat pour demain. Ainsi monsieur Jean-Marie sera content !*
Le lendemain, Jean-Marie entre au restaurant :
– *Avez-vous de la choucroute au chocolat ?*
– *Oui, monsieur Jean-Marie*, dit la serveuse tout heureuse.
– *C'est mauvais, hein, la choucroute au chocolat !* répond Jean-Marie.

1 Sur une assiette plate, posez une tranche de pain, placez deux rondelles d'œuf dur à hauteur des yeux, deux croûtes de pain bien noircies à hauteur des sourcils et deux demi-rondelles de tomate pour les oreilles.

2 Découpez une tranche de cornichon pour le nez et, dans le fromage, taillez trois petites dents triangulaires et deux autres plus grandes et plus pointues. Disposez le tout sur la tartine. Quelques câpres par-ci par-là feront très bien l'affaire pour imiter les verrues.

3 Et voilà ! La touche finale, répugnante, dégoûtante, ignoble… quelques gouttes de ketchup sur la pointe des canines.

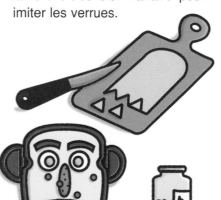

BOISSONS COLORÉES

IL VOUS FAUT

- lait
- banane
- sirop de grenadine
- fraise
- sirop de menthe
- sucre candi
- pomme

« POUR BOIRE CE BREUVAGE, IL VOUS FAUDRA AFFRONTER LE MONSTRE DU MARÉCAGE. »

2 Découpez une rondelle de fraise et glissez-la dans la bouche du monstre.

Pour les yeux, enfoncez deux morceaux de sucre candi.

Découpez une tranche de pomme en triangle et plantez-la dans le dos.

Colorez le lait avec de la grenadine, versez le mélange dans un grand verre.

Vous pouvez également préparer toutes sortes de boissons à base de sirop de menthe, de jus d'orange ou de tomate et décorer vos cocktails colorés d'une manière délirante.

MONSTRE MARIN

1 Épluchez une banane et faites une fente à une des extrémités.

Deux explorateurs sont dans
la marmite d'une tribu cannibale :
– Ha! Ha! Ha! Ha!
– Mais enfin, pourquoi ris-tu comme cela?
– Parce que j'ai fait pipi dans la sauce.

LE BISTRO-BEURK

« POUR LES ESTOMACS BIEN ACCROCHÉS ET LES DIGESTIONS FACILES, VOICI UN REPAS HAUT EN COULEURS QUI VOUS FERA VOMIR DE PLAISIR ! »

SPAGHETTIS

1 Faites bouillir de l'eau, ajoutez-y quelques gouttes de colorant puis plongez-y les pâtes et laissez-les cuire quelques minutes (voir les indications sur le paquet).

2 Une fois cuits, égouttez les spaghettis et servez-les chauds. Vous pouvez améliorer la couleur de vos pâtes avec du ketchup et/ou des dés de jambon.

PURÉE

1 Préparez la purée en suivant les instructions sur le paquet. Mais tout d'abord mélangez quelques gouttes de colorant au lait.

2 Servez chaud, vous pouvez accompagner votre purée de saucisses et/ou de cornichons... Après tout, c'est vous le cuistot !

RIZ

1 Faites bouillir de l'eau, ajoutez-y quelques gouttes de colorant puis le riz (suivez les indications sur la paquet.)

2 Servez chaud, vous pouvez accompagner votre riz de maïs, cela sera hautement relevé en couleurs.

CROCO CONCOMBRE

« ARMEZ-VOUS DE VOS COUVERTS POUR AFFRONTER CE CROCODILE, VOUS N'EN FEREZ ALORS QU'UNE BOUCHÉE. »

4 Dans le second concombre, prélevez deux bandelettes de pelure pour emballer les deux petits oignons afin de faire les yeux. Retenez-les avec des cure-dents (s'ils sont trop grands, cassez-les). Piquez un grain de poivre au centre de l'oignon pour imiter la pupille de l'œil.

1 Coupez un concombre : un grand morceau de 8 cm pour la tête à une extrémité et un petit morceau de 5 cm pour la queue à l'autre.

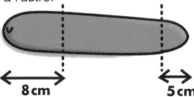

2 Coupez la partie centrale en rondelles.

3 Dans la tête, ôtez un morceau triangulaire pour former la bouche.

5 Tranchez un cornichon en deux, cassez vos cure-dents en deux et effilez un peu l'extrémité cassée afin de planter plus aisément les cornichons à l'emplacement des narines. Plantez également les yeux dans la tête.

6 Dans le bloc d'emmenthal, taillez les dents du crocodile en prenant modèle sur le morceau de concombre ôté dans la tête.

Quelle est la différence entre un crocodile et un alligator ?
C'est caïman la même chose…

7 Dans le restant du deuxième concombre, prélevez quatre épluchures plus ou moins épaisses et découpez-les suivant le modèle des pattes ci-dessous.

8 Disposez tous les éléments de votre crocodile sur une grande assiette plate et décorez le bord de l'assiette avec des rondelles de carotte.

C'est l'histoire d'un chien qui visite un zoo.
Il rencontre tous les animaux dont un crocodile.
Celui-ci dit au chien :
– Espèce de sac à puces !
Et le chien répond :
– Espèce de sac à main !

Help...

Ah, ah, ah!

Hé...

Hi, hi, hi!!

Oh...

Hi, hi, hi!!!

Beurk...

FARCES

LE TROU DE SERRURE

« SI VOUS CONNAISSEZ DANS VOTRE ENTOURAGE DES GENS TROP CURIEUX, VOICI COMMENT LES CORRIGER. »

Faites mine de préparer un sale coup dans votre chambre afin d'attirer le curieux. Le premier réflexe du curieux sera d'écouter à la porte. Vous vous arrangerez alors pour faire des bruits bizarres de l'autre côté de façon à titiller sa curiosité. Son seul recours sera alors de regarder par le trou de la serrure. Et vlan ! c'est là que votre plan se déclenche....

PLAN A

Sur un morceau de papier, écrivez un message en lettres minuscules et pas plus grandes que le trou de serrure.
Scotchez le message à la serrure afin qu'il soit lisible de l'autre côté de la porte.

PLAN B

Attendez de l'autre côté de la porte avec une seringue remplie d'eau et lorsque le vilain curieux posera son regard par là, aspergez-le d'eau par le trou de serrure.

PLAN C

Encore plus fort ! Badigeonnez la serrure côté extérieur avec de la confiture, du miel ou du choco. Ainsi celui qui aura osé regarder par le trou de serrure, portera l'empreinte de sa curiosité sur son visage.

LA PIÈCE BALADEUSE

IL VOUS FAUT

- une pièce de monnaie
- du papier collant
- du fil nylon

« POUR VOUS SOUTIRER CE SOU SANS SOURIRE, IL FAUDRA LE SUIVRE JUSQU'À SA SOURCE. »

Voici une variante de cette farce : placez du papier collant double face sous une pièce de monnaie et collez-la au sol. Plutôt amusant de voir à quel point les gens s'acharnent à décoller cette pièce.

1 Choisissez une pièce d'une valeur assez importante, coupez environ un mètre de fil nylon et scotchez-le à la pièce.

Quel est le meilleur remède à prescrire à un avare ?
R : Les bas élastiques, parce qu'ils guérissent les varices (l'avarice).

2 Dans la rue ou dans un grand magasin, promenez-vous avec votre pièce en laisse.
Tout d'abord, laissez-la au repos jusqu'au moment où vous voyez que quelqu'un s'y intéresse et se penche pour la ramasser. Tirez alors tout doucement sur le fil et attendez la prochaine tentative de votre victime avant de recommencer.
Si l'appât est suffisamment attirant, vous verrez ramper votre victime comme un fauve après sa proie.

Monsieur et madame Mandufrique ont un fils, comment vont-ils l'appeler ?
R : Gérard (parce que « J'ai rarement du fric »).

LE PULL TARENTULE

« TRANSFORMEZ-VOUS EN HOMME ARAIGNÉE ET PRENEZ VOS AMIS AU PIÈGE DANS VOTRE TOILE GRÂCE AU PULL TARENTULE. »

Prenez la pelote de laine et faites passer l'extrémité du fil de laine entre les mailles de votre pull. Tirez sur ce fil et bloquez-le sous une porte ou sous un meuble… Veillez à ce que le fil circule bien entre les mailles du pull. Cachez le restant de la pelote sous celui-ci et commencez votre périple à travers la maison : n'hésitez pas à tourner autour des chaises et des tables, évitez les objets précieux.

Au bout d'un moment, cette toile d'araignée plutôt surprenante inquiétera votre famille et lorsqu'ils comprendront que c'est votre nouveau pull qui se détricote, ils crieront : « Au scandale, remboursez !!»

> – Lequel préfères-tu d'un pull plein
> de puces ou de sept trous dans la tête ?
> – Voyons ! sept trous dans la tête,
> puisque tu les as déjà.

> Deux pull-overs se rencontrent,
> ils parlent de la pluie et du beau temps.
> L'un se plaint auprès de l'autre :
> « Je viens de me faire rouler. »

SUCRE FLOTTANT

- un morceau de polystyrène de 1 cm d'épaisseur
- un cutter

« NE LAISSEZ RIEN AU HASARD, DÈS LE MATIN SURPRENEZ VOS PARENTS EN PIÉGEANT LEUR CAFÉ À L'AIDE D'UN SUCRE FLOTTANT. »

Il faut simplement couper le polystyrène en carrés de 2 cm de côté.

Qu'est-ce qui est épais, jaune, succulent mais dangereux ?
Une crème vanille dans laquelle baigne un requin.

Qu'est-ce qui contient du sucre mais n'est pas sucré ?
Le sucrier.

FAUX-SAUCISSON

« SI CE SAUCISSON-CI N'EST PAS UN SAUCISSON SEC, ALORS CE SAUCISSON-LÀ, EST UN BAS ! »

1 En tordant et chiffonnant le papier journal, faites-en une torche de la taille d'un saucisson.

2 Coupez les jambes des bas nylon.

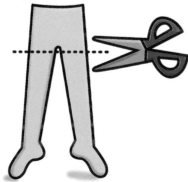

3 Enfilez votre torche de journal dans une jambe de bas, poussez-la jusqu'au bout, refermez le bas avec du fil et une aiguille juste au-dessus du journal. Coupez l'excédent de bas.

4 Enfilez de nouveau le journal emballé dans l'excédent de bas et refermez les deux extrémités avec une aiguille et du fil. Recommencez cette opération plusieurs fois de manière à avoir un saucisson bien lisse.

5 Donnez une forme « réaliste » à votre saucisson.

6 Peignez-le en rouge. Il faudra certainement appliquer plusieurs couches de couleur avant d'obtenir une surface uniforme. Laissez sécher la couleur avant chaque nouvelle couche car le journal et le bas nylon sont très absorbants.

7 Quand la couche finale est presque totalement sèche, roulez le saucisson dans la farine.

Astuce, pour que la farine tienne plus longtemps, utilisez de la colle en bombe et projetez-en sur le saucisson juste avant de le fariner.

D'où vient le squelette que l'on a trouvé dans une armoire ? *C'est le vainqueur d'une partie de cache-cache.*

COUP DE BOULE

IL VOUS FAUT

- du sang artificiel ou du ketchup

« L'HÉMOGLOBINE NE VOUS FAIT PAS PEUR ?...
ALORS CETTE FARCE DEVRAIT VOUS PLAIRE. »

Vous avez envie de voir 36 étoiles, pas de problème :

Tout d'abord, placez discrètement un peu de sang artificiel ou de ketchup dans vos mains, puis faites en sorte de sortir de la pièce et au moment de franchir la porte, tapez avec le pied dans le bas de la porte et donnez un coup de tête vers l'arrière. Tout le monde croira que vous venez de vous prendre une porte dans la...

Tenez votre nez entre les mains en vous tordant de douleur et, à ce moment, badigeonnez un peu

de sang autour de celui-ci.
Ne vous étonnez pas si votre maman accourt vers vous en criant : « Oh ! mon petit, que t'est-il arrivé ? Oh ! mon pauvre petit ! »
Laissez durer votre farce quelques minutes, puis dévoilez le subterfuge avant qu'on ne vous embarque d'urgence en ambulance.

26

LE DOIGT AU CIEL

« LA CURIOSITÉ EST
UN VILAIN DÉFAUT,
ALORS PROFITEZ-EN ! »

Les gens sont très curieux et ce vilain défaut leur vaut parfois de se laisser prendre au piège.

Avec quelques amis, arrêtez-vous à un endroit fort fréquenté, comme un square, un parc ou un grand carrefour et pointez tous le doigt au ciel pour indiquer un point précis. Bien sûr, il n'y a absolument rien à voir à cet endroit. Mais vous vous apercevrez que plus d'une personne se laisse prendre au piège de la curiosité pour regarder cet invisible objet.

Cette farce est très simple, ne demande aucune préparation et pourtant fonctionnera toujours.

LE TÉLÉPHONE À L'ŒIL

Toujours avec les mêmes complices, faites la file à une cabine téléphonique. Faites circuler le bruit que dans cette cabine, les appels téléphoniques, même à l'étranger, sont gratuits.

Vous verrez, l'appât du gain va ameuter les foules et bientôt une file d'attente immense va se former derrière vous.

Le dernier de vos complices est chargé de laisser un mot scotché au téléphone sur lequel est écrit : « C'était une blague ! »
Un conseil, prenez, vos complices et vous, vos jambes à votre cou car les victimes de ce vilain tour risquent de ne pas trop apprécier.

Remarque : attention, la réussite de cette blague de mauvais garnements dépend du sérieux que vous mettrez à la réaliser.

UNE ENTRÉE EXPLOSIVE

- un ballon de baudruche
- une punaise
- du papier collant
- un peu de ficelle

Gonflez le ballon et accrochez-le à la poignée intérieure de la porte. Fixez une punaise au mur avec un morceau de papier collant. Calculez votre coup pour que le ballon touche la punaise lorsqu'on ouvre la porte.

Attendez dans la pièce et faites éventuellement en sorte d'appeler votre victime explosive. Lorsque celle-ci ouvrira la porte, attendez-vous à ce qu'elle sursaute car la détonation lui percera les tympans. Ne faites pas cela à des personnes trop sensibles !

FANTÔME MALGRÉ LUI

IL VOUS FAUT

- un ballon de baudruche
- du talc ou de la farine
- un manche de brosse
- une aiguille
- du papier collant

« SI VOUS AIMEZ ROULER VOS COPAINS DANS LA FARINE, VOICI UN PETIT TOUR QUI VA VOUS PLAIRE. »

Jean-Marie visite le musée paléolithique.
Il aperçoit un squelette de dinosaure et demande au gardien :
– *Monsieur, savez-vous quel âge a ce dinosaure ?*
– *180 millions d'années et 23 ans, mon petit.*
– *C'est formidable. Comment connaissez-vous son âge avec tant de précision ?*
– *C'est facile : quand j'ai commencé à travailler ici, il y a vingt-trois ans, il avait déjà 180 millions d'années.*

1 Versez du talc ou de la farine dans le ballon, puis gonflez-le. Suspendez-le au dessus de la porte. Plongez la pièce dans l'obscurité, vous pouvez même pousser le vice jusqu'à dévisser les ampoules pour vous assurer que la lumière ne perturbera pas votre tour.

2 Attendez au fond de la pièce avec un manche de brosse sur lequel vous aurez scotché une aiguille. Lorsqu'une personne sera placée sous votre guet-apens, percez le ballon. Vous verrez, votre victime se transformera aussitôt en fantôme.

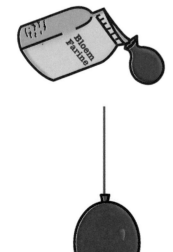

VITRE CASSÉE

« VITRE CASSÉE C'EST LA FESSÉE, VITRE FOUTUE PAN PAN CUL CUL ! »

2 Une fois votre cassure terminée, appliquez le film plastique sur une vitre et lissez bien tous les plis afin qu'il se confonde tout à fait avec le carreau.

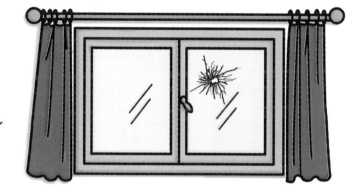

1 Coupez un morceau de film. Posez-le sur le dessin ci-dessous et reproduisez-le en utilisant les marqueurs bleu et noir.

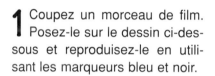

Vos parents vont sans doute beaucoup apprécier cette farce, surtout si vous laissez croire que c'est en jouant avec le magnifique vase en porcelaine, cadeau de tante Alice, que vous avez brisé cette vitre.

Mais enfin, qu'est-ce que t'as dans la tête !

ATTENTION BOUTONS !

IL VOUS FAUT

« UN MAQUILLAGE CONTAGIEUX D'UNE FACILITÉ DÉCONCERTANTE QUI ÉLOIGNERA LES POTS DE COLLE. »

• un crayon de maquillage rouge

Couvrez toute la surface de votre visage de points rouges. Comme si vous aviez la varicelle ou la rougeole. Attention, ce virus est très dangereux et qui vous approche risque la contamination.

DITES-LE AVEC DES FLEURS !

IL VOUS FAUT

- deux torchons de cuisine (un vert et un d'une autre couleur)
- un chalumeau
- papier collant
- ficelle
- fil et aiguille
- un ballon de baudruche

« CE BOUQUET REFROIDIRA LES ARDEURS AMOUREUSES À QUI VOUS L'OFFRIREZ. »

1 Dans un torchon de cuisine de préférence vert, découpez une très longue bandelette, enroulez-la autour d'un chalumeau en la maintenant par du papier collant au début comme à la fin.

2 Dans un torchon d'une autre couleur, découpez une bande de 4 x 15 cm. Tout le long de cette bande, coupez des entailles de +/- 2 cm de profondeur. Enroulez la bande autour d'une des extrémités du chalumeau et retenez-la par un bout de ficelle nouée. Veillez à ce que l'ouverture du chalumeau soit bien dégagée pour laisser passer le jet d'eau.

3 Si vous avez des talents de couturière, vous pouvez embellir la fleur en lui cousant une collerette. Pour la collerette, découpez un rectangle de 3 x 8 cm dans le torchon vert. Refermez le rectangle en cousant ensemble ses deux extrémités. Passez un fil de fronce dans le bas. Glissez la collerette sous la fleur et maintenez-la par quelques points.

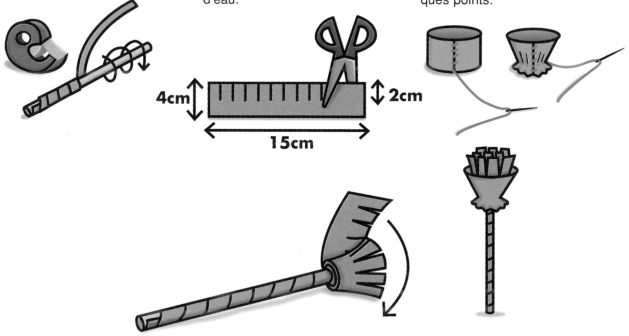

4cm   2cm

15cm

5 Placez un ballon de baudruche à l'autre bout de la tige et retenez-le en nouant un bout de ficelle. Remplissez le ballon d'eau en vous aidant d'un autre chalumeau qu'il vous suffit d'introduire dans le pistil de la fleur.

4 Découpez deux ou trois feuilles dans le torchon vert et cousez-les à la tige.

Si vous confectionnez ainsi plusieurs fleurs, vous pourrez former un bouquet et l'emballer d'une feuille de cellophane. Il ne vous reste plus qu'à offrir ce bouquet « mouilleur » à la personne de votre choix.

Jean-Marie et Claude sont jumeaux. Jean-Marie a deux sœurs et Claude en a une seule. Comment est-ce possible ?
R : Claude est une fille.

Trois hommes tombent dans l'eau, mais deux seulement ont les cheveux mouillés. Pourquoi ?
R : Le troisième est chauve.

LE MÔME MOMIE

« IL NE S'AGIT PAS DE JOUER LES PHARAONS MAIS PLUTÔT LES FANFARONS EN VOUS DÉGUISANT EN MOMIE VIVANTE ET EN ÉCLOPÉ EN PLEINE SANTÉ. »

2 Coupez le mandrin aux dimensions de votre avant-bras. Recouvrez-le de bandes de papier journal préalablement encollées.

1 Emballez votre tête avec des bandages. Vous pouvez aussi glisser une pomme de terre sous ceux-ci pour simuler une giga bosse.

3 Laissez deux ouvertures : une pour le pouce et une autre pour les autres doigts. Peignez-le tout en blanc, laissez sécher.

4 Passez votre bras dans le faux plâtre et maintenez-le par un bandage autour du cou. Vous pouvez vous présenter dans cet état catastrophique à l'anniversaire d'un copain par exemple. Vous verrez, tout le monde sera impatient de connaître votre malchanceuse mésaventure. Bien sûr, votre talent de comédien joue un rôle primordial dans la réussite de ce méfait.

LA CHAISE PÉTARADANTE

IL VOUS FAUT

- du plastique à bulles
- quatre élastiques

« CECI N'EST PAS UNE CHAISE MUSICALE.
SA MÉLODIE EST BEAUCOUP MOINS AGRÉABLE. »

Sous chacun des pieds d'une chaise de la cuisine par exemple, placez des morceaux de plastique à bulles que vous fixez avec des élastiques.

Guettez l'arrivée de vos convives autour de la table. Bonne chance à celui qui va s'asseoir sur cette chaise !

Pourquoi les devinettes
font-elles si mal ?
*R : Parce que ce sont
de vrais casse-tête.*

PHOTOS TRUQUÉES

« PLUS BESOIN DE PARTIR EN SAFARI NI D'ALLER À BUCKINGHAM POUR CÔTOYER LE ROI DE LA JUNGLE ET LE PRINCE CHARLES, UTILISEZ TOUT SIMPLEMENT VOTRE IMAGINATION DÉLIRANTE. »

1 Recherchez dans des magazines des photos d'animaux féroces ou de personnalités célèbres. Choisissez également quelques photos de vous. Essayez de visualiser et de créer des situations dans lesquelles vous pourriez vivre des aventures extraordinaires, voire incroyables. Faites des photocopies couleur de vos photos ou faites-les reproduire chez votre photographe. Vous pouvez alors choisir de les agrandir ou de les réduire si nécessaire.

Au zoo, un vieil éléphant a rendu l'âme.
Près du corps de l'animal, le gardien sanglote.
Le directeur du zoo s'approche et cherche
à le réconforter :
– *Mon pauvre ami… Ne vous mettez pas dans cet
état… vous l'aimiez donc tant que cela ?*
– *Oh ! Ce n'est pas tellement à cause de l'éléphant,
c'est surtout à cause du trou qu'il va falloir
que je creuse.*

2 Découpez votre photo ou sa photocopie en contournant bien la silhouette et collez-la judicieusement sur la photo du magazine que vous aurez choisie. Pour faire encore plus vrai, photocopiez votre photomontage et épatez vos copains.

UN ŒUF EN TOC

Un œuf à la coque, c'est toujours délicieux, il y a toujours un gentil gourmand qui en redemande, alors proposez-lui vos services en allant dans la cuisine en préparer un autre. Au passage, débarrassez son assiette de l'œuf vide. Une fois dans la cuisine, il vous suffit de retourner l'œuf dans le coquetier. Attendez quelques minutes puis revenez le servir.

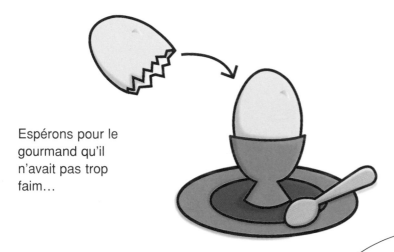

Espérons pour le gourmand qu'il n'avait pas trop faim…

C'est vraiment trop injuste !

Une dame entre dans une boucherie et demande :
– *Je désire un morceau sans os, sans gras, sans nerf.*
Le boucher répond :
– *Allez à la crémerie et demandez un œuf!*

L'ARROSEUR MÊME PAS ARROSÉ

« LES PETITS FARCEURS DANS VOTRE GENRE S'AMUSERONT DES HEURES DURANT SANS JAMAIS JETER L'ÉPONGE. »

1 Placez un morceau d'éponge de la taille de votre tasse au fond de celle-ci.

2 Demandez à quelqu'un de vous verser de l'eau. Votre tasse une fois remplie, jetez-lui le contenu au visage. L'éponge aura absorbé tout le liquide et votre victime restera donc au sec, mais pour le moins très surprise.

UN POT DE CONFITURE SURPRENANT

UN DÉJEUNER SURPRISE POUR DES AMATEURS DE CONFITURE ET D'ÉMOTIONS FORTES...
MÉFIEZ-VOUS DES POTS DE CONFITURE, UNE ÉNORME CHENILLE EST PEUT-ÊTRE CACHÉE DEDANS!

1 Peignez l'intérieur du pot de confiture en rouge, plusieurs couches seront nécessaires pour que la couleur soit bien opaque.

2 Pendant que la peinture sèche, fabriquez un ressort en enroulant du fil de fer autour d'un tube en carton. Enroulez-le sur 16 cm de long et terminez les deux extrémités par une boucle pour éviter des pointes saillantes.

3 Prenez la balle de ping-pong, percez-y deux trous distants de 2 cm. Entrez un fil d'acier par un trou et ressortez par l'autre. A l'aide de la pince, formez deux antennes et cassez bien votre fil en angle droit au niveau des trous pour qu'il se maintienne en place.

4 Coupez la chaussette au niveau du talon et conservez uniquement la partie supérieure de celle-ci. Retournez-la et faites une découpe triangulaire profonde de 1,5 cm à l'endroit indiqué sur le dessin.

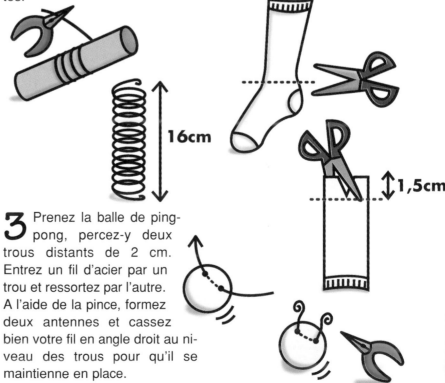

16cm

1,5cm

5 Refermez le haut de la chaussette par une couture.

7 Dessinez des yeux et une bouche à votre chenille.

8 Si votre pot de confiture n'a pas d'étiquette, prenez une étiquette de cahier.

Confiture aux fraises

6 Mettez la chaussette à l'endroit, posez la balle de ping-pong au sommet du ressort, enfilez la chaussette sur le ressort. Cousez le bas de la chaussette à la dernière spire du ressort et cousez également à petits points au niveau des antennes.

Ce petit piège à gourmand ne manquera pas d'égayer vos déjeuners moroses.
Posez le pot de confiture sur la table et observez votre future victime du coin de l'œil.

UNE MAGNIFIQUE CROTTE

- papier journal
- colle à tapisser
- seau ou récipient
- gouache brune et pinceau

ELLE PORTERA PEUT-ÊTRE CHANCE À CELUI QUI MARCHERA DESSUS, MAIS EN TOUT CAS, ELLE VOUS FERA MOURIR DE RIRE...

1 Faites de la pâte à papier mâché. Délayez en remuant un peu de colle à tapisser dans un peu d'eau. Déchirez votre papier journal en petits morceaux et ajoutez-les à la colle. Remuez vigoureusement votre mélange. Laissez-le reposer, cela le rendra plus facile à travailler.

2 Une fois votre pâte à papier mâché prête, fabriquez votre crotte, prenez votre temps pour la modeler afin de la rendre la plus réaliste possible.
Laissez-la sécher durant un jour.

3 Maintenant que cette crotte est sèche, il ne vous reste plus qu'à la mettre en couleur.

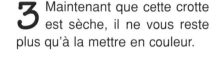

Déposez-la au milieu du salon, et attendez les regards dégoûtés de vos amis, ce sera alors le moment d'entrer en scène en ramassant cette amusante fausse crotte !

J'ai mis le chien au chaud car il était tout mouillé!

Quelle différence y-a-t-il entre un chien et un prisonnier?
R : Le chien fait le beau et le prisonnier fait la belle.

Help !

Ah, ah, ah !

Hi, hi, hi !!

Hé...

Oh...

Beurk...

Hi, hi, hi !!!

HORREUR

Hi, hi, hi !!!

Ah, ah, ah !

Oh...

Beurk, beurk !

Help !

Ah, ah, ah !

Super...

Hé...

JEU DE MAIN, JEU DE VILAIN

- deux gants
- du papier journal ou de l'ouate

« VOICI UN TOUR PLEIN DE DOIGTÉ, QUI TOMBE À PIC. »

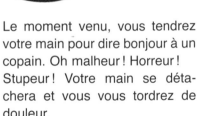

Une laitue se plaint à une carotte :
– *Je n'ai plus de cœur, les escargots me l'ont mangé!*
– *Oh! ce n'est pas la peine d'en faire une salade.*

En hiver, les gants sont de rigueur pour ne pas se geler le bout des doigts, alors quoi de plus normal que d'en porter ?

Bourrez un de vos gants de mousse ou de papier journal.

Le moment venu, vous tendrez votre main pour dire bonjour à un copain. Oh malheur ! Horreur ! Stupeur ! Votre main se détachera et vous vous tordrez de douleur.

46

ASTICOTI-ASTICOTA

IL VOUS FAUT

- de la salade
- du pain de mie ou des spaghettis

« VOILÀ UN REMÈDE CONTRE LES PIQUE-ASSIETTES : DES MIES DE PAIN PRÊTES À ASTICOTER LES INVITÉS INDÉSIRABLES. »

Lavez la salade et mettez-la dans un saladier. Ôtez la mie du pain et roulez des petits serpentins de la taille d'asticots ou cuisez quelques spaghettis et coupez-les en petits morceaux d'environ 5 mm. Placez quelques faux asticots dans la salade et apportez ce délicieux plat à table.

Dans un restaurant, un monsieur appelle le serveur :
– C'est honteux, il y a une mouche dans ma salade.
– Ce n'est rien, Monsieur, l'araignée qui se trouve dans vos frites va la manger.

Si vous jouez ce petit tour à des gens trop polis, ils n'oseront rien dire et finiront leur assiette, mais par contre vous ne les verrez plus jamais attablés chez vous.

SALE MORVEUX

- de la gélatine alimentaire
- du colorant vert (alimentaire)

« PRÉPAREZ VOS MOUCHOIRS ! ATCHOUM ENTRE EN SCÈNE ET SON NEZ NE CESSE DE COULER. »

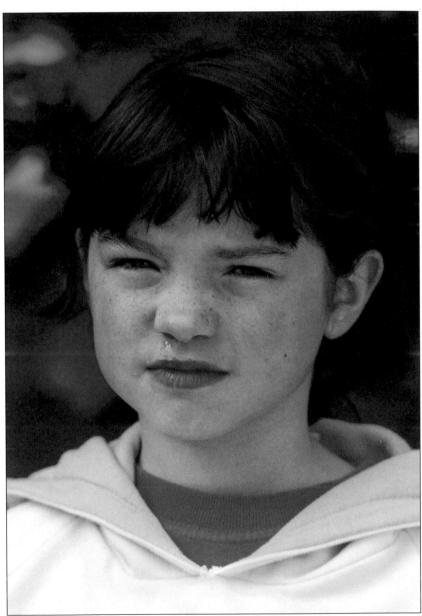

1 Suivez les instructions figurant sur le paquet pour préparer la gélatine. Lors de la cuisson, ajoutez simplement quelques gouttes de colorant vert. Un conseil, ce n'est pas la peine de préparer une trop grande quantité de morve.

2 Après avoir laissé reposer votre mixture quelque temps au frigo, badigeonnez-vous les narines de gélatine verte et laissez-la couler. Votre aspect répugnant écœurera même les moins sensibles d'entre nous.

DES BRUITS ABOMINABLES

« CHERCHEZ AUTOUR DE VOUS TOUTES SORTES D'OBJETS
QUI POURRAIENT FAIRE DES BRUITS DÉPLAISANTS,
ANGOISSANTS OU MÊME EFFRAYANTS. »

■ Rayez par exemple une as-siette avec une fourchette, ce bruit fera grincer des dents tout comme une craie neuve sur un tableau.

■ Si vous passez une tranche de citron sur le bord d'un verre, cela produira un siffle-ment strident qui obligera même les sourdingues à se boucher les oreilles.

■ Avec une grande feuille de cellophane ou une fine plaque d'aluminium, vous pouvez re-produire un coup de tonnerre.

> Deux fous se baladent
> dans le désert.
> L'un d'eux transporte une portière
> de voiture, l'autre lui demande :
> — Que vas-tu faire de cela ?
> — Eh bien, quand j'aurai trop chaud,
> j'ouvrirai la fenêtre.

> Qu'est-ce qui fait tic-tac et
> qui est tout blanc ?
> R : Un réveil qui est tombé
> dans la farine.

Partez à la recherche des bruits et fabriquez-vous une banque sonore avec des enregistre-ments pour toutes les circons-tances.

UNE BOÎTE SANGUINOLENTE

« CETTE BOÎTE MYSTÉRIEUSE IMPRESSIONNERA LES PETITES NATURES ET METTRA EN BOÎTE LES GROS DURS. »

3 Décorez votre boîte suivant l'histoire que vous aurez imaginée pour effrayer vos amis. Donnez un air vieilli à votre dessin, cela le rendra encore plus terrible.

1 Prenez la boîte d'allumettes, enlevez le tiroir et au 2/3 de celui-ci, percez un trou suffisamment grand pour y passer votre majeur.

2/3

4 Placez au fond du tiroir de l'ouate tachée de sang artificiel et replacez-le dans la boîte. Passez votre doigt par le trou, au travers de l'ouate. Mettez également du sang sur votre doigt, cela rendra votre épouvantable farce encore plus réelle.

2 Recouvrez l'autre partie de la boîte d'allumettes de papier blanc. Coupez-le aux bonnes dimensions.

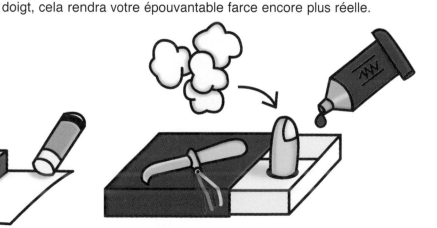

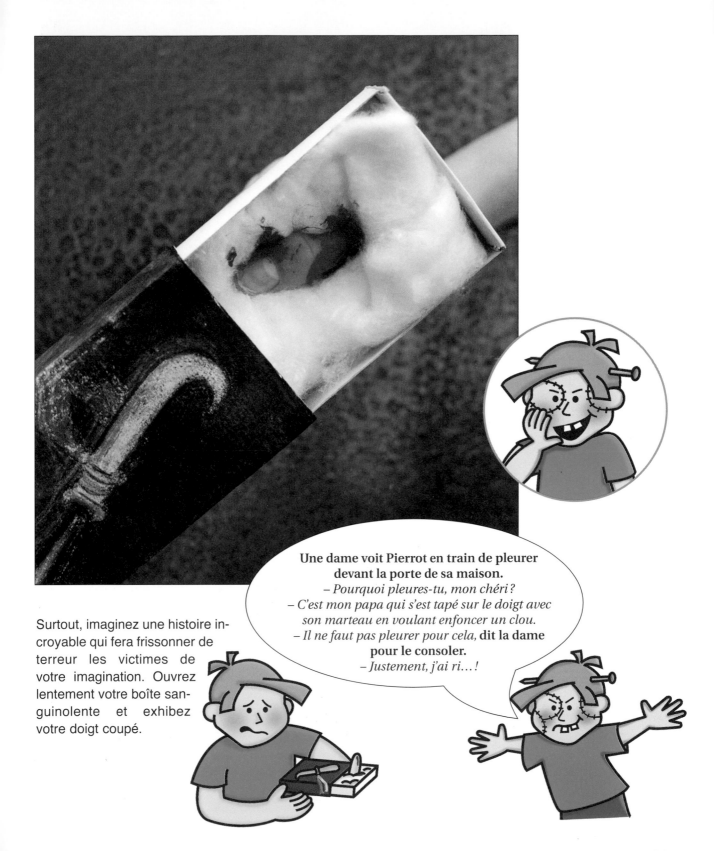

Surtout, imaginez une histoire incroyable qui fera frissonner de terreur les victimes de votre imagination. Ouvrez lentement votre boîte sanguinolente et exhibez votre doigt coupé.

Une dame voit Pierrot en train de pleurer devant la porte de sa maison.
– *Pourquoi pleures-tu, mon chéri ?*
– *C'est mon papa qui s'est tapé sur le doigt avec son marteau en voulant enfoncer un clou.*
– *Il ne faut pas pleurer pour cela,* **dit la dame pour le consoler.**
– *Justement, j'ai ri…!*

TÊTE DE CHOU

- un beau chou vert
- un cutter ou des ciseaux
- du fil nylon
- du papier collant

« SAVEZ-VOUS PLANTER LES CHOUX À LA MODE, À LA MODE, SAVEZ-VOUS PLANTER LES CHOUX À LA MODE DE CHEZ NOUS... ? »

2 Placez-vous derrière une fenêtre, mettez ce masque végétal devant votre visage et surprenez les passants. Préparez-leur une chaise car ils auront besoin de s'asseoir après cette abominable apparition.

1 Utilisez les premières feuilles du chou car elles sont plus grandes. Découpez deux trous à l'emplacement des yeux et une ouverture pour la bouche. Attention pour la bouche, ne découpez pas dans la nervure principale de la feuille de chou, sinon celle-ci perd sa colonne vertébrale et s'écroule.

Vous pouvez perfectionner votre tour diabolique en lui donnant un effet lumineux. Il vous suffit pour cela de vous placer dans une pièce obscure et d'allumer une lampe torche juste sous votre menton.
Bonjour
les frissons !

Si aujourd'hui vous êtes un peu paresseux et avez envie de garder les mains libres pour un autre méfait, rien de plus simple : enfilez une aiguille avec du fil nylon, passez-la dans la nervure centrale de la feuille de chou et suspendez celle-ci en la scotchant à votre fenêtre.

HIBERNATUS

- un bac à glaçons
- des bestioles en plastique
- des grains de café
- des grains de riz
- du fil noir

« A GLA GLA... A GLA GLA, VOICI DES GLAÇONS QUI VONT FAIRE GRINCER DES DENTS. »

1 Placez toutes sortes d'éléments dans les différents compartiments du bac à glaçons. Vous pouvez y mettre des bestioles en plastique ou des grains de café et du fil noir (pour simuler des cafards) ou des grains de riz (pour imiter des asticots). Remplissez le bac d'eau et rangez-le au congélateur.

Dans un bar, un hypercostaud à tête de tueur, dit à son copain :
– *Tu vois ce type là-bas, assis à la table du fond ?*
– *Mais ils sont quatre !* **répond l'autre.**
– *Celui qui a des bottes noires !*
– *Mais ils ont tous des bottes noires.*
– *Celui qui a un blouson en cuir noir !*
– *Mais ils ont tous les mêmes blousons.*
– *Celui qui fume !*
– *Mais ils sont tous en train de fumer.*
Alors l'hypercostaud dégaine son arme, tire et tue trois types.
– *Voilà, c'est celui qui reste,* **dit-il.** *Tu le vois maintenant ?*
– *Oui et alors ?*
– *Et alors ? Je le déteste !*

2 Proposez des cocktails détonants à vos invités et rafraîchissez-les avec quelques glaçons très très spéciaux. Si leur dégoût est à la hauteur de leur soif, vous risquez de ne pas les revoir de si tôt !

L'ŒIL CREVÉ

IL VOUS FAUT

- de l'ouate ronde de démaquillage
- du jus de tomate ou de la gelée de groseille
- du sirop de sucre ou du miel
- un pinceau

2 Fixez les bords de l'ouate sur la peau grâce à une substance collante comme du sirop de sucre ou du miel. Laissez couler un peu de faux sang le long de votre joue.

1 Imbibez l'ouate de gelée de groseille ou de jus de tomate et appliquez-la sur l'œil.

Conseil : protégez vos vêtements avec une serviette éponge car les substances employées pour ce maquillage tachent.

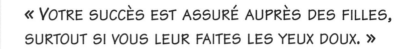

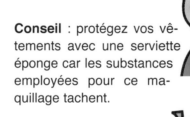

Jean-Marie vient de recevoir une bicyclette.
Il passe et repasse fièrement devant ses parents :
– *Regardez ! Sans les pieds,*
dit-il au premier passage
– *Regardez ! Sans les mains,*
dit-il au second passage
– *Regardez !* dit-il au troisième passage.
Fans les dents !

TROMPE-L'ŒIL AU BEURRE NOIR

« UN GRIMAGE TRÈS RÉALISTE QUE VOUS CRÉEREZ EN UN CLIN D'ŒIL. »

1 Appliquez du rouge foncé et du vert clair sur l'extérieur de l'arcade sourcilière et sur la paupière, estompez les couleurs vers l'extérieur à l'aide d'une petite éponge. Créez aussi un hématome sur la pommette en procédant de la même manière.

2 À l'aide d'un coton-tige imbibé de couleur rouge et verte, tracez une ligne partant du coin de l'œil, estompez celle-ci avec l'autre extrémité du coton-tige.

3 Réajustez les couleurs avec quelques taches de bleu ou de noir, que vous appliquez à l'éponge.

4 Placez un sparadrap sur le front juste au-dessus de votre œil au beurre noir.

Inventez une histoire abracadabrante de bastonnade à l'école et racontez-la à vos parents. Si vous interprétez bien votre rôle, leurs réactions risquent d'être palpitantes.

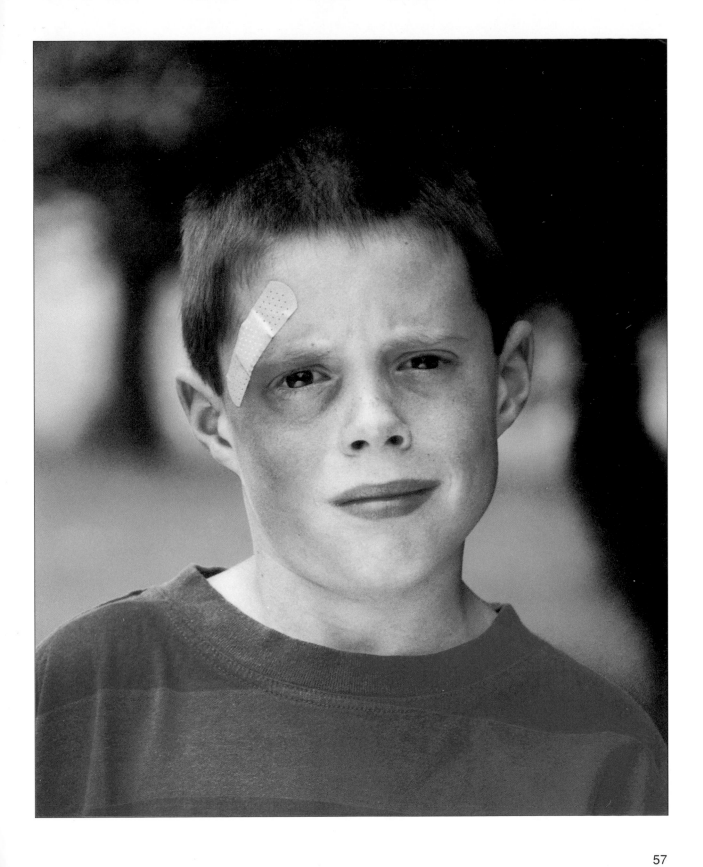

LA CAVITÉ CÉRÉBRALE

« TUÉ DANS LE PETIT SALON PAR LE COLONEL MOUTARDE AVEC LE PISTOLET, VOUS HANTEZ DÉSORMAIS LES COULOIRS DE VOTRE MAISON, CAR L'HEURE DE LA VENGEANCE A SONNÉ... »

Conseil : Couvrez vos vêtements avec une serviette-éponge afin de les protéger des taches de sang synthétique.

1 Formez une petite boule de modeline et appliquez-la sur le front. Aplatissez les bords avec votre doigt ou l'extrémité d'un pinceau. Vous pouvez utiliser du lait hydratant pour travailler plus facilement la modeline.

2 Coloriez les bords de la modeline ainsi que les alentours en rouge foncé, estompez légèrement la couleur avec un coton-tige. Ajoutez quelques touches de vert et de bleu pour imiter l'hématome autour de l'impact.

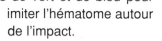

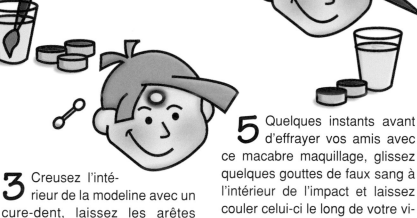

3 Creusez l'intérieur de la modeline avec un cure-dent, laissez les arêtes vives comme des lambeaux de peau.

4 Peignez l'intérieur de la plaie en rouge et ajoutez-y quelques touches de noir pour donner plus de profondeur à la blessure.

5 Quelques instants avant d'effrayer vos amis avec ce macabre maquillage, glissez quelques gouttes de faux sang à l'intérieur de l'impact et laissez couler celui-ci le long de votre visage.

Vous avez sûrement déjà vu plus d'un film d'horreur comme « Le retour des morts vivants » ou « Frankenstein » et vous n'aurez donc aucun mal à jouer votre rôle dramatique en gardant votre sang-froid.

Le patient explique au médecin les symptômes de son mal.
– *Chaque matin, quand je prends mon petit déjeuner, je ressens une violente douleur sur le front. Que dois-je faire ?*
– *Mais où avez-vous mal exactement ?*
- *Là, juste entre les deux yeux.*
– *Je vous conseille d'enlever la petite cuillère avant de boire votre café.*

Monsieur et madame Elaide ont une fille, comment vont-ils l'appeler ?
R : Rachel (parce que « Rha qu'elle est laide »).

VILAINE CROÛTE

IL VOUS FAUT

- quelques pétales de céréales (corn flakes)
- de la colle chirurgicale ou un sirop de sucre
- de la peinture rouge foncé, vert clair, noire et bleue

« BIZARRE, AUJOURD'HUI PERSONNE NE VEUT VOUS FAIRE LA BISE, VRAIMENT BIZARRE ! »

1 Tout d'abord, cassez les pétales de céréales en petits morceaux et collez ceux-ci au coin de la lèvre par exemple.

2 Colorez les pétales en rouge foncé avec quelques petites touches de noir pour donner l'illusion du sang séché.

3 Peignez les alentours de la croûte ainsi que sous la lèvre inférieure en rouge foncé et estompez légèrement les bords au coton-tige, puis ajoutez quelques taches de peinture vert clair et bleue pour donner plus de réalité à votre blessure.

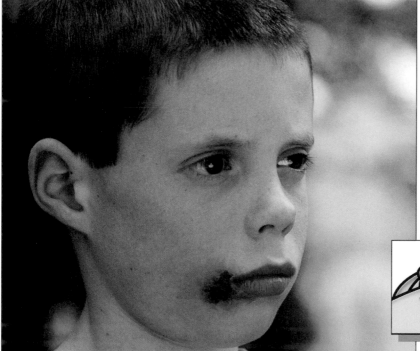

CACHE SOURCIL

Jean-Marie arrive avec un pansement sur chaque oreille :
– Mais qu'est-ce qui t'arrive ?
– Je repassais et le téléphone a sonné, je me suis trompé et je me suis brûlé l'oreille avec le fer !
– Et l'autre oreille ?
– Après, et bien on a rappelé…

1 Laissez tremper dans l'eau les deux morceaux de savon afin qu'ils ramollissent un maximum.

2 Appliquez-les sur vos sourcils en les pressant bien contre ceux-ci. Modelez les extrémités pour qu'elles se fondent à la peau.

3 Vos sourcils sont à présent cachés sous les morceaux de savon, ce n'est donc plus la peine de sourciller, excepté si vous le désirez, vous pouvez redessiner par dessus des sourcils aussi expressifs et touffus que vous le souhaitez.

Deux savonnettes se rencontrent dans la salle de bains.
– Comment fais-tu pour rester aussi mince ?
– C'est très simple : je prends un bain tous les jours.

L'ESTAFILADE

« CETTE BALAFRE SANGLANTE FERA DRESSER D'HORREUR LES CHEVEUX DE TOUTES LES PERSONNES QUI CROISERONT VOTRE ROUTE. »

Conseil : protégez vos vêtements avec une serviette-éponge, car le sang synthétique fait des taches plutôt tenaces.

1 Travaillez la modeline un peu comme de la plasticine, pas trop longtemps sinon elle colle aux doigts. Formez un petit boudin de la grandeur d'une balafre et appliquez-le sur la joue.

2 Avec votre doigt ou l'extrémité du pinceau, écrasez les bords de la modeline afin qu'ils se fondent à la peau. La modeline se travaillera d'autant mieux si vous utilisez du lait hydratant.

Jean-Marie et sa maman sont chez le dentiste :
– *Allons, mon chéri, ouvre tout grand la bouche pour que le dentiste puisse enlever ses mains!*

3 Colorez le contour de la modeline ainsi que les alentours en rouge foncé. Appliquez également quelques taches de peinture vert clair et bleue pour imiter un léger hématome. Vous pouvez atténuer les couleurs à l'aide d'un coton-tige.

5 Quelques secondes avant de surprendre vos parents ou amis, appliquez au creux de la plaie quelques gouttes de sang synthétique et laissez coulez celui-ci le long de votre joue.

4 Avec un cure-dent, creusez délicatement l'intérieur de la plaie. Coloriez l'intérieur de l'estafilade en rouge foncé, ajoutez-y quelques taches de couleur noire, cela donne plus de profondeur à la blessure.

Le juge à l'accusé :
– *Vous maintenez n'avoir lancé que des tomates à la tête de votre voisin ?*
– *Absolument !*
– *Alors, comment expliquez-vous les bosses et les blessures qu'il porte ?*
– *Parce qu'elles étaient en conserve, c'est tout !*

CASSE-TÊTE

« VOUS SEREZ MÉTAMORPHOSÉ EN QUELQUES INSTANTS EN « CASSEUR » DE BANQUE PATIBULAIRE »

1 Coupez les jambes de bas collants un peu plus haut que le niveau des genoux. Enfilez-les l'une sur l'autre sur votre tête, nouez l'excédent au sommet du crâne.

2 Placez-vous devant un miroir et à l'aide d'un marqueur, indiquez l'emplacement des sourcils et des futures cicatrices.

3 Ôtez les bas de votre tête et brodez aux emplacements que vous venez de marquer les sourcils et les cicatrices. Pour plus de facilité, vous pouvez passer un morceau de carton à l'intérieur du masque afin de tendre le bas.

4 Replacez votre cagoule sur la tête, placez une pomme de terre sous les mailles à l'emplacement d'un de vos yeux, et vous voilà prêt à effrayer les poules mouillées et les froussards !

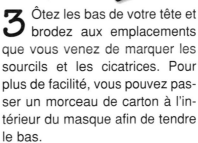

64

UN SOURIRE DE SORCIÈRE

- de la confiture
  aux myrtilles, du chewing-
  gum ou des bonbons
  colorants

« POUR LES FINES BOUCHES, VOICI UNE BLAGUE DE POTACHE À PRENDRE DU BOUT DES DENTS ET AVEC UNE LANGUE BIEN PENDUE. »

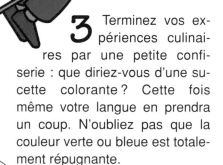

Voici un petit méfait très très simple où il vous suffit de vous barbouiller les dents de toutes sortes d'aliments colorants. Assurez-vous avant qu'ils se lavent facilement à l'eau.

1 Vous pouvez par exemple tapisser vos dents de délicieuse confiture aux myrtilles, vous les verrez prendre une « exquise » couleur mauve. Avec un peu de chance, quelques morceaux de myrtilles resteront calés entre vos dents. Ce sera vraiment…. somptueux.

2 Vous pouvez également vous coller un chewing-gum tout brun sur les incisives. Cela vous donnera un sourire peu ragoûtant.

3 Terminez vos expériences culinaires par une petite confiserie : que diriez-vous d'une sucette colorante ? Cette fois même votre langue en prendra un coup. N'oubliez pas que la couleur verte ou bleue est totalement répugnante.

Madame Wistiti va chez le docteur, car elle tousse et éternue.
Le docteur lui demande :
– *Lorsque vous avez eu vos premiers frissons de froid, avez-vous claqué des dents ?*
– *Ah ça, je ne m'en souviens plus car je crois que je les avais posées sur ma table de nuit.*

LE COUTEAU MAGIQUE

- carton rigide
- ciseaux
- fil d'acier
- pince à long bec
- colle contact et colle en bâton
- papier aluminium
- peinture noire, blanche, rouge et pinceaux
- un grand couteau de cuisine
- marqueur noir fin
- papier de verre assez fin

UNE PETITE RÉALISATION À NE PAS LAISSER TRAÎNER ENTRE TOUTES LES MAINS !

2 Découpez chaque élément. Au couteau en carton complet, collez un manche par-dessus et un autre par-dessous.

4 Pliez votre fil d'acier selon les indication ci-dessous. Ensuite collez-le sur le couteau en carton.

1 Demandez l'aide d'un adulte pour utiliser le grand couteau de cuisine. Tracez sur le carton une fois son contour complet et deux fois le contour du manche.

3 Polissez les bords au papier de verre. Coupez la lame à environ 2 cm du manche.

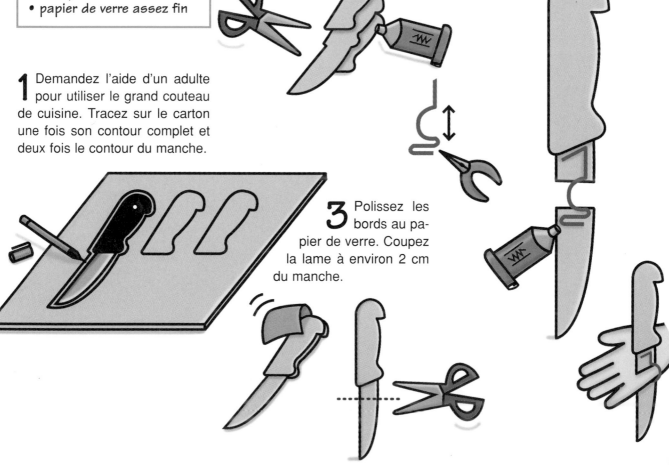

5 Peignez en noir le manche du couteau.

6 Retracez le contour de la lame sur le papier aluminium, découpez-la en y ajoutant 0,5 cm tout autour.

Collez le papier aluminium sur la face visible par les spectateurs et rabattez les bords vers l'arrière.

Lissez bien la surface collée afin qu'il n'y ait aucun défaut.

7 Tracez et découpez pour la dernière fois sur le papier aluminium le contour exact de la lame et collez-le au dos du couteau. L'opération sera sans doute délicate car il y a tous les fils d'acier à recouvrir.

Appliquez de la couleur rouge le long de la lame ainsi que sur votre main à l'endroit où le couteau vous transpercera de part en part. Exhibez-vous en vous tordant de douleur.

Help !

Ah, ah, ah !

Hé...

Hi, hi, hi !!

Oh...

Beurk...

Hi, hi, hi !!!

Hi, hi, hi !!!

Ah, ah, ah !

Oh...

MESSAGES SECRETS

Beurk, beurk !

Help !

Ah, ah, ah !

Super...

Hé...

LETTRE SECRÈTE

IL VOUS FAUT

- un citron pressé
- un porte-plume
- du papier à lettre
- une source de chaleur (briquet, fer à repasser...)

« ATTENTION, PAS UN ZESTE, CE MESSAGE EST SECRET ! »

– Vite, je suis pressé, Maman, tu n'as pas vu mon crayon ?
– Mais si, mon chéri, il est derrière ton oreille !
– Maman, écoute, je n'ai vraiment pas de temps à perdre. Alors, dis-moi vite derrière laquelle ?

1 Trempez votre plume dans le jus de citron et écrivez votre texte sur le papier à lettre. À première vue, rien ne semble inscrit.

2 Faites parvenir votre lettre à votre correspondant. Lui seul bien entendu sera capable de la déchiffrer car il connaît le système « D ». Pour faire apparaître le texte, placez une source de chaleur sous la lettre. La chaleur fait brunir le jus de citron et ainsi rend le message visible.

MESSAGE INVISIBLE

« PAS LA PEINE DE VOUS MINER POUR DÉCHIFFRER CE MESSAGE, IL VOUS SUFFIT DE LE NOIRCIR AVEC UN CRAYON GRAS. »

Un P.D.G. fait des reproches à sa secrétaire :
– *Depuis quelques jours, vos lettres sont remplies de fautes de frappe…*
– *Je sais,* **répond la jeune femme,** *depuis que le chauffage a été coupé dans mon bureau…*
– *Quel rapport ?…*
– *Bah ! Vous avez déjà essayé de taper à la machine avec des moufles ?*

1 Inscrivez votre message sur la première page de votre carnet avec le crayon noir en veillant à bien appuyer. Déchirez cette page et détruisez-la.

2 Vous êtes désormais le seul à connaître le contenu de ce message. Mais votre complice est le seul à pouvoir le déchiffrer… Il lui suffira de noircir de hachures la page suivante du carnet à l'aide d'un crayon gras.

EXPLICATION
Le relief creusé par le crayon noir sur la seconde page ne retient pas les traits de crayon gras et laisse donc le texte blanc sur fond noir.

Comme ma femme le dit souvent.

Sherlock Holmes, Hercule Poirot et Columbo sont parmi les grands détectives qui ont résolu plus d'une affaire criminelle en employant cette technique.

Vous pouvez également écrire votre message avec un crayon gras blanc sur une feuille blanche, ce qui le rend invisible et ensuite repasser dessus avec un crayon de couleur. L'écriture blanche paraîtra plus claire que le restant de la feuille.

CARTE DÉLIRANTE

« YEUX EXORBITÉS, LANGUE PENDANTE...
VOUS AUREZ CARTE BLANCHE, POUR PERSONNALISER
VOTRE COURRIER. »

Conseil : procurez-vous une photo en portrait de votre correspondant. Si vous ne disposez pas d'une photo assez grande, agrandissez-la à la photocopieuse, couleur de préférence.

1 Découpez un morceau de bristol de 20 x 30 cm. Pliez-le en deux dans le sens de la largeur. Sur le volet intérieur, collez la photo de votre « bon » copain.

2 Pour les yeux, découpez deux ronds dans le bristol, dessinez la pupille à l'intérieur de chacun des deux cercles. Découpez dix bandelettes de couleur foncée pour les cils. Pliez les bandelettes en escalier et collez cinq cils à chaque œil.

3 Dans la feuille blanche, découpez quatre bandelettes de 0,7 cm de large sur environ 12 cm de long. Prenez les bandelettes deux par deux et croisez-les en les repliant successivement l'une sur l'autre de façon à obtenir un accordéon d'environ 3 cm de long.

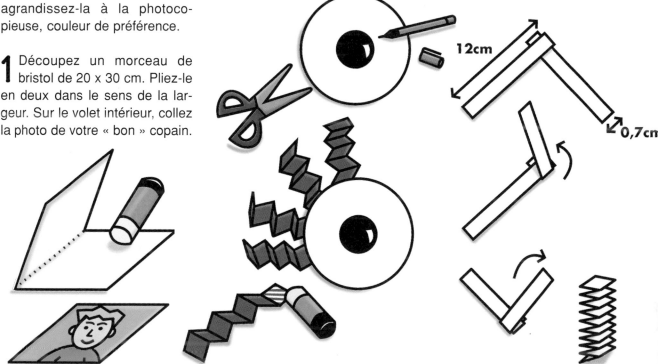

4 Collez avec du scotch les accordéons à la fois au dos de l'œil en bristol et à l'emplacement des yeux sur la photo.

5 Dans du papier rouge, découpez une grande langue. Encollez l'extrémité, appliquez-la au niveau de la bouche et repliez la langue vers le bas.

6 Pour réaliser le nœud papillon, reproduisez le gabarit ci-dessous sur du papier coloré. Repliez-le et collez-le sur la photo.

7 Vous pouvez décorer l'autre volet de votre carte avec quelques taches de couleur.

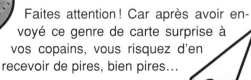

Faites attention! Car après avoir envoyé ce genre de carte surprise à vos copains, vous risquez d'en recevoir de pires, bien pires…

Help !

Ah, ah, ah !

Hé...

Hi, hi, hi !!

Oh...

Beurk...

Hi, hi, hi !!!

Hi, hi, hi !!!

Oh...

Ah, ah, ah !

JEUX ET DIVERTISSEMENTS

Beurk, beurk !

Help !

Ah, ah, ah !

Super...

Hé...

LE TAPIS VOLANT

« FAITES TROIS VŒUX, ENVOLEZ-VOUS SUR VOTRE TAPIS VOLANT ET PARTEZ À LA RECHERCHE DE LA PRINCESSE JASMINE. QUAND VOUS L'AUREZ TROUVÉE, VOUS SEREZ SANS AUCUN DOUTE LE BALADIN DE LA FÊTE. »

2 Au centre du carton, découpez une ouverture suffisamment grande pour pouvoir y passer votre buste. Découpez deux morceaux de corde et servez-vous-en comme bretelles en perçant quatre trous dans le carton pour y passer les quatre extrémités de la corde, retenez-les par des nœuds sous le carton.

3 Fabriquez quatre petites floches en raphia. Il suffit pour cela d'enrouler plusieurs fois le raphia autour d'un morceau de carton, d'ôter le carton, de couper l'un des côtés et de nouer l'autre. Percez ensuite des trous dans les quatre coins du tapis et suspendez-y les quatre floches.

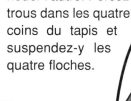

1 Sur le bristol, peignez le motif du tapis. Collez celui-ci au carton en laissant dépasser d'un seul côté les 20 cm excédentaires. Faites onduler le papier.

4 Prenez les collants et remplissez-les avec votre rembourrage. Vous pouvez passer du fil de fer à l'intérieur des jambes et plier celui-ci pour leur donner une position définitive. Le rembourrage vous permettra de donner forme et volume aux jambes. Enfilez ensuite la culotte de pyjama sur les collants.

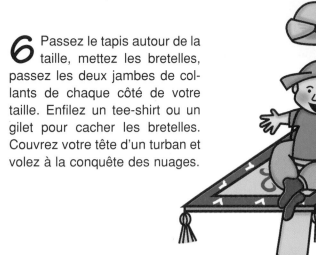

6 Passez le tapis autour de la taille, mettez les bretelles, passez les deux jambes de collants de chaque côté de votre taille. Enfilez un tee-shirt ou un gilet pour cacher les bretelles. Couvrez votre tête d'un turban et volez à la conquête des nuages.

5 Terminez chaque jambe de pyjama par des élastiques. Enfilez les chaussettes aux pieds des collants.

REFLET DANS LE MIROIR

IL VOUS FAUT

- deux assiettes
- un bouchon
- des allumettes ou
  un briquet

« MIROIR MON AMI, DIS-MOI QUI EST LE PLUS SALE ? »

1 Avant de commencer, préparez votre canular en noircissant le dessous de l'assiette en faisant brûler un bouchon sous l'assiette.

2 Ensuite, choisissez un volontaire et proposez-lui de jouer le rôle de votre reflet dans le miroir. Placez-vous l'un en face de l'autre, chacun une assiette en main. Bien sûr, sous la sienne il y a la suie.

3 Vous allez faire toutes sortes de mouvements avec votre main libre, l'un d'eux consistant surtout à frotter votre doigt sous l'assiette et à le passer ensuite sur votre visage. Le volontaire devra reproduire exactement les mêmes mouvements que vous, mais lui, le pauvre, sera sans le savoir en train de se barbouiller la figure avec de la suie.

Laissez votre reflet crédule se barioler complètement le visage avant de lui dévoiler le pot-aux-roses.

Conseil : demandez aux spectateurs de garder leur sérieux jusqu'au bout de la farce.

LE DIVIN DEVIN

- deux feuilles de papier
- deux enveloppes
- deux stylos

« IL NE SUFFIT PAS D'ÊTRE EXTRA, IL FAUT AUSSI ÊTRE LUCIDE ! »

1 Dites à un copain d'écrire quelque chose sur une feuille de papier et puis de la glisser dans une enveloppe.

2 De votre côté, écrivez « La même chose » sur une feuille que vous allez également placer dans une enveloppe. Prédisez à votre copain naïf que lorsque vous échangerez vos enveloppes, il découvrira que vous avez écrit la même chose que lui.

– Est-ce qu'on peut être puni pour quelque chose qu'on n'a pas fait ? demande Jean-Marie à la maîtresse.
– Bien sûr que non, répond la maîtresse.
– Ah bon, parce que moi je n'ai pas fait mon devoir.

C'est un ouvrier qui pose une moquette… Soudain il découvre une bosse au milieu du salon. Il met la main à sa poche et s'écrie :
– Zut ! ce doit être mon paquet de cigarettes !
À cet instant, la propriétaire rentre et lui demande :
– Vous n'auriez pas vu Poupette, mon Yorkshire ?

MADAME IRMA

IL VOUS FAUT

- une enveloppe
- une photo de bébé ou de singe

« POUR CONCURRENCER MME IRMA SUR SON TERRAIN, IL NE FAUT PAS ÊTRE VOYANT, IL SUFFIT D'ÊTRE MALIN. »

Vous allez placer la photo que vous aurez choisie (c'est-à-dire celle du bébé ou du singe) dans une enveloppe et de retour près de vos amis, vous allez désigner la personne choisie en montrant la photo cachée dans l'enveloppe.

Vous ne pouvez vous tromper car qu'est-ce qui ressemble à un singe, si ce n'est un autre singe ?

Proposez à vos amis un petit jeu : vous allez vous absenter un moment et pendant ce temps ils vont secrètement choisir l'un d'entre eux que vous devinerez.

L'ÉCRITURE VERLAN

« POUR AMUSER VOS COPAINS, PROPOSEZ-LEUR UN PETIT JEU TRÈS SIMPLE. IL CONSISTE À ÉCRIRE SON PRÉNOM SUR SON PROPRE FRONT. »

Vous vous apercevrez assez vite que pour la plupart ils vont l'inscrire à l'envers. C'est sûr! Cela va former des anagrammes plutôt désopilants qui risquent de surprendre.

Monsieur et madame Gram ont une fille.
Comment vont-ils l'appeler?
R : Anna (anagramme).

Monsieur et madame Célère ont un fils.
Comment vont-ils l'appeler?
R : Jacques (J'accélère).

Monsieur et madame Oduvillage ont une fille.
Comment vont-ils l'appeler?
R : Lydie (l'idiot du village).

Help !

Ah, ah, ah !

Hé...

Hi, hi, hi !!

Oh...

Beurk...

Hi, hi, hi !!!

ILLUSIONS MAGIE

Hi, hi, hi !!!

Oh...

Ah, ah, ah !

Beurk, beurk !

Help !

Ah, ah, ah !

Super...

Hé...

LE TRIPTYQUE OPTIQUE

- 3 images de 21/24 cm
- 1 carton de 21/48 cm
- une feuille de papier blanc de 21/72 cm
- de la colle
- des ciseaux

« TROIS IMAGES POUR LE PRIX D'UNE, POUR CELA IL SUFFIT DE PRENDRE LE BON PLI. »

3 Pliez et collez votre triptyque comme sur le dessin et ensuite collez le tout sur le support en carton.

De la façon dont vous vous placez pour regarder votre triptyque, vous verrez successivement les trois images.

1 Découpez chaque image en douze bandes de 2 cm de large.

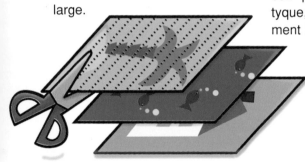

2 Sur la feuille blanche, collez les trente-six bandes obtenues en alternant première image, deuxième image, troisième image et en respectant toujours l'ordre des images.

– Je peux grimper sur tes épaules pour changer l'ampoule ?
– Oui, vas-y !
– Maintenant, tu peux tourner pour la visser…

LA PIÈCE HANTÉE

- une haute bougie et son bougeoir
- des pièces de monnaie
- un cutter

« À LA LUEUR D'UNE BOUGIE, TERRORISEZ VOTRE FAMILLE EN LUI LAISSANT CROIRE À DES PHÉNOMÈNES PARANORMAUX ET AUX ESPRITS MALINS. »

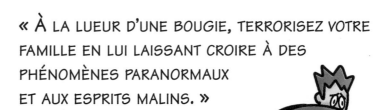

2 Dans chaque incision, plantez une pièce de monnaie. Allumez la bougie et laissez agir les « forces mystérieuses du mal ».

1 À l'aide du cutter, faites de petites incisions à différentes hauteurs de la bougie.

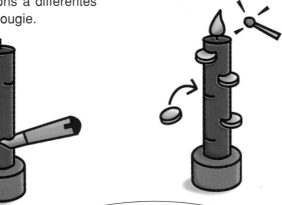

En fondant, la bougie va libérer une à une les pièces de monnaie qui vont faire du bruit en tombant et ainsi effrayer les personnes qui se trouvent dans la pièce voisine.

Jouez-leur ce petit tour un soir de pleine lune quand tout semble calme mais que le mystère plane.

> Comment met-on un cheval dans un frigo en trois opérations ?
> *On ouvre la porte, on met le cheval dans le frigo et on referme la porte.*

LA PIÈCE INCONNUE

IL VOUS FAUT

- une assiette creuse
- du lait
- un verre lisse à fond plat

> **Un journaliste demande au dompteur d'un cirque :**
> *– Un chien qui joue de la guitare pendant qu'un lapin chante du reggae! C'est truqué, n'est-ce pas?*
> *– Un peu je l'avoue… En fait, le lapin ne sait pas chanter, c'est le chien qui est ventriloque!*

1 Remplissez une assiette de lait, demandez à un spectateur d'y plonger une pièce de monnaie. Vous êtes le seul à ne pas connaître la valeur de cette pièce et pourtant…

2 Annoncez aux spectateurs que vous allez reconnaître la pièce à travers le lait. « Impossible », diront-ils. Mais évidemment rien n'est impossible pour David Coupeurd'fil.
Posez le verre sur la pièce dans l'assiette. Regardez à travers le verre de quelle pièce il s'agit et épatez ainsi tout votre public.

L'ŒUF MOU

« SI VOUS AIMEZ PRÉPARER VOS COUPS EN DOUCE, VOICI UN TOUR QUI VA VOUS PLAIRE. POUR CELA D'UN ŒUF VOUS ALLEZ DISSOUDRE LE CALCAIRE... ».

1 Posez l'œuf au fond du verre et recouvrez-le de vinaigre. Après quelques minutes, vous observerez que la coquille de l'œuf se recouvre de petites bulles.

2 Laissez l'œuf tremper dans le vinaigre toute la nuit et le matin venu, préparez un gentil petit-déjeuner à vos parents. Posez l'œuf dans un coquetier et attendez tranquillement leur réaction.

EXPLICATION

Le calcaire donne la solidité à la coquille mais sous l'effet du vinaigre, il se dissout et la coquille devient alors toute molle.

> Un escargot passe devant une limace.
> – *Oh! un nudiste...*

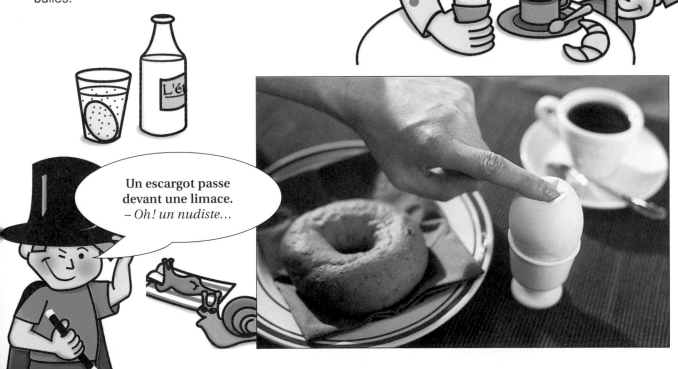

LA FORCE DE L'EAU

- des allumettes
- une assiette
- une feuille de papier
- des ciseaux

« LE BOIS BOIT. »

3 Aux plis, les cellules du bois absorbent l'eau, elles gonflent et les allumettes se redressent.

ALLUMETTES

1 Pliez les allumettes en deux et placez-les en croix sur votre assiette remplie d'eau.

2 Laissez tomber quelques gouttes sur les plis d'allumettes et observez.

– Mon père dit que les gens devraient toujours dormir avec la fenêtre ouverte.
– Ça alors, est-ce qu'il est médecin ?
– Non, pas du tout, il est cambrioleur !

MAISON

1 Dessinez une maison en suivant le modèle et découpez-la. Découpez également les portes et volets en suivant les pointillés. (Vous pouvez aussi inventer une autre forme.)

2 Pliez suivant les traits rouges.

3 Posez la maison sur l'eau, la porte va se refermer ainsi que les volets !

ATTENTION CHAUD DEVANT, CHAUD DEVANT !

« LES FROIDS DANS LE DOS ET LES COUPS DE CHALEUR ÇA VOUS CONNAÎT, ALORS FAITES-EN PROFITER LES AUTRES... »

1 Remplissez trois verres d'eau, l'un avec de l'eau chaude, le suivant avec de l'eau tiède et le dernier avec de l'eau froide.

2 Choisissez un participant et faites-lui plonger ses index dans les verres d'eau chaude et d'eau froide.

chaud   **froid**

3 Après quelques minutes, faites-lui plonger ses index dans le verre d'eau tiède. Les doigts sont au contact de la même température et pourtant l'un paraît froid et l'autre chaud... Étonnant, non ?

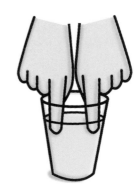

Un homme s'est perdu dans le désert, il est assoiffé. Soudain il voit un marchand :
– À boire, s'il vous plaît !
– Désolé, Monsieur, je ne vends que des cravates !
Il continue à marcher pendant plusieurs jours puis aperçoit un autre marchand :
– Je vous en prie, Monsieur, donnez-moi à boire !
– Excusez-moi, je voudrais vous aider mais je ne vends que des cravates.
Il poursuit son chemin pendant quelques jours encore et finit par arriver devant un hôtel quatre étoiles. Il s'avance vers le portier en le suppliant de lui servir à boire :
– Désolé, Monsieur, mais je ne peux pas vous laisser entrer sans cravate.

PETITS TRUCS DE FORCE ET D'INERTIE

IL VOUS FAUT

- un jeu de cartes
- un verre
- une carte postale
- une boîte d'allumettes
- une pomme
- des pièces de 20 FB
- un couteau

« POUR FAIRE CE TOUR DE CARTES, LE SEUL ATOUT DANS VOTRE JEU SERA L'INERTIE ».

Le but du jeu est d'augmenter à chaque fois le nombre de cartes. Ce petit truc est assez efficace pour épater les copains mais sa réussite requiert un entraînement assidu.

ÉCHAFAUDAGE EN PÉRIL

1 Sur le verre, posez la carte postale, puis la boîte d'allumettes et en équilibre sur celle-ci, mettez la pomme.

2 D'un coup sec, tirez la carte postale et vous vous apercevrez que la boîte d'allumettes a suivi le mouvement car elle est plus légère, tandis que la pomme est restée sur place et est simplement retombée sur le verre car sa forte inertie l'a empêchée de bouger.

EXPLICATION
La force d'inertie est la résistance qu'un corps oppose à un mouvement en raison de sa masse.

JEU DE CARTES

1 Placez un tas de quelques cartes au bord d'une table. Mettez votre main sous le tas de cartes et d'un coup sec frappez les cartes de façon à leur faire faire un tour complet, ensuite rattrapez le tas dans la main.

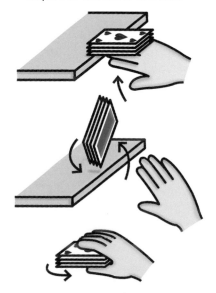

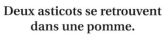

Deux asticots se retrouvent dans une pomme.
– *Tiens, dit l'un, je ne savais pas que vous habitiez ce quartier!*

LE PRISONNIER LIBÉRÉ

Choisissez un cobaye parmi vos copains, qui doit se tenir debout, les bras le long du corps. Retenez-lui les bras pendant une demi-minute tandis qu'il essaie de les lever. Une fois le temps écoulé, relâchez ses bras et régalez-vous… Malgré lui, ses bras se soulèvent.

EXPLICATION
Ses bras ont gardé en mémoire de produire le même effort, ils se soulèvent donc tout seuls.

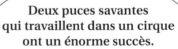

Deux puces savantes qui travaillent dans un cirque ont un énorme succès.
– *Tu sais ce qu'on fera quand on sera assez riches ?* dit l'une d'elles.
– *Non.*
– *On fera un voyage en caniche !*

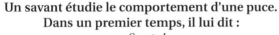

Un savant étudie le comportement d'une puce.
Dans un premier temps, il lui dit :
– *Saute !*
La puce saute. Ensuite, il lui coupe les pattes et recommence l'expérience.
– *Saute !*
Le puce ne saute pas.
Il note alors dans son carnet :
« Quand on coupe les pattes à une puce, elle devient sourde. »

PIROUETTES OPTIQUES

« USEZ OU ABUSEZ DE PIROUETTES OPTIQUES
POUR ARRONDIR LES ANGLES. »

DES CARRÉS CARRÉMENT RONDS OU RONDEMENT CARRÉS ?

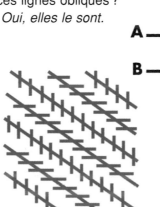

DES LIGNES TROUBLANTES

Pensez-vous que ces lignes verticales sont parallèles ?
R : *Oui, elles le sont.*

Et ces lignes obliques ?
R : *Oui, elles le sont.*

Les lignes A et B sont-elles parallèles ?
R : *Oui, elles le sont.*

A
B

EXPLICATION
Vos yeux sont attirés par les traits qui partent du centre et vous avez l'impression que les droites sont incurvées.

LES TACHES FANTÔMES

Vous voyez des taches grises entre les carrés noirs et pourtant, elles n'existent pas.
Surprenant, non ?

HISTOIRE DE GRANDEUR

Vous croyez que ce chapeau est plus haut que large ?
R : *Pas du tout, il est aussi large que haut.*

Quel est le segment le plus long ? A B C
R : *Aucun, ils ont tous la même taille.*

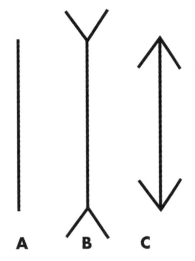

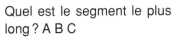

DES FIGURES PSYCHÉDÉLIQUES

Combien comptez-vous de cubes ?
Retournez votre livre et recomptez. Vous découvrirez qu'il n'y a pas le même nombre.

Où commence et où se termine cet escalier ?

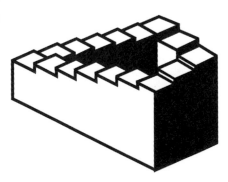

MESSAGE DÉBILOPTIQUE

Pour savoir ce qui est écrit sur ce message, penchez-vous au ras de cette page, les lettres apparaissent alors et le message est lisible.

Un serpent raconte : *je n'arrive pas à me marier, à chaque fois que je trouve une compagne, je me rends compte que c'est un tuyau d'arrosage!*

JEU OPTIQUE

Construisez votre propre jeu optique : le thaumatrope

IL VOUS FAUT

- papier légèrement cartonné
- colle
- ficelle
- ciseaux

---

1 Tracez deux cercles de même grandeur sur le papier cartonné, découpez-les et sur chacun des cercles, faites un dessin.
Choisissez des dessins qui se complètent et s'assemblent.

2 Collez les dessins dos à dos en emprisonnant la ficelle entre les deux. Inversez le sens d'un des dessins avant de coller.

3 Faites tourner la ficelle rapidement entre vos doigts et observez le résultat. L'image se recompose.

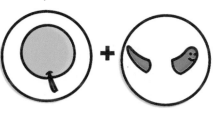

EXPLICATIONS

Pendant une fraction de seconde, l'image de la pomme reste gravée sur la rétine et durant ce court moment, l'image de la chenille s'y imprime à son tour. Les deux images défilant très vite devant vos yeux, ceux-ci font le lien entre elles pour ne plus en faire qu'une.

LA BAGUETTE MAGIQUE

IL VOUS FAUT

- du fil nylon
- une baguette en bois de ± 25 cm
- une punaise
- une petite bouteille
- des couleurs (gouache ou acrylique)
- un pinceau

« ABRACADABRA, VOUS VERREZ CE TOUR ENCHANTEUR VA ATTIRER LES FOULES. »

1 Peignez votre baguette en bois de façon à ce qu'elle ressemble à une baguette magique.

2 Plantez la punaise au bout de la baguette et nouez le fil nylon autour de cette punaise.

3 Introduisez la baguette dans la petite bouteille, côté punaise en premier, puis nouez l'autre extrémité du fil nylon à votre ceinture. Vous devrez sans doute un peu calculer la longueur du fil afin que le tour fonctionne.

4 Pour réussir ce tour de prestidigitation, il vous suffit d'éloigner la bouteille de vous, ainsi le fil se tend et la baguette monte. Avec l'autre main, faites des mouvements au-dessus de la bouteille, comme si grâce à votre magnétisme vous attiriez la baguette magique.

Monsieur et madame Sahalor ont un fils, comment vont-ils l'appeler ?
R : Aubin (parce que « Oh bin ça alors ! »)

PHOTOLIFTING

IL VOUS FAUT

- une photo portrait de vous
- un cutter
- de la colle
- une feuille de bristol

« DEVENEZ CHIRURGIEN ESTHÉTIQUE, OPÉREZ AU SCALPEL ET SANS ANESTHÉSIE. »

1 Reproduisez plusieurs fois la même photo de vous soit par un procédé photographique soit en photocopie couleur.
Divisez vos duplicata de photo en lamelles verticales ou horizontales de ± 1 cm de largeur, numérotez-les avant de les couper afin de ne pas les mélanger.

2 Ensuite collez les lamelles sur le bristol en les espaçant de 1 à 2 mm. Vous vous apercevrez que dans un sens cette chirurgie plastique vous allonge et que dans l'autre elle vous grossit.

3 Essayez en faisant se chevaucher les lamelles de 1 ou 2 mm. Le résultat est tout aussi surprenant si pas plus. Sur ces portraits-là, vous aurez soit pris du poids soit perdu quelques kilos.

4 Vous pouvez varier les plaisirs et faire des photomontages complètement farfelus en mélangeant différentes prises de vue photographiques et en les combinant.

La maman de Jean-Marie lui reproche :
– Regarde, le lait a débordé !
- Oui en effet.
– Mais enfin, tu étais là ! Je t'avais demandé de surveiller ta montre.
– C'est ce que j'ai fait, il était exactement neuf heures vingt-cinq quand le lait a débordé.

CASSÉ OU PAS CASSÉ ?

IL VOUS FAUT

- un torchon de vaisselle
- quelques cure-dents ou allumettes

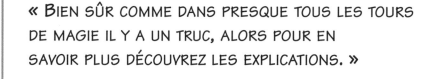

« Bien sûr comme dans presque tous les tours de magie il y a un truc, alors pour en savoir plus découvrez les explications. »

2 Vous êtes maintenant fin prêt à présenter votre tour de passe-passe. Montrez à vos spectateurs que vous placez un cure-dent au milieu du torchon.

Repliez le torchon en rabattant les coins vers l'intérieur. Faites mine de casser le cure-dent du milieu mais en réalité cassez un de ceux placés dans un coin. Attention, tous les spectateurs doivent entendre le bruit du cure-dent qui se fend pour croire en votre tour.

1 Dans la couture de chaque coin du torchon, introduisez un cure-dent ou une allumette.

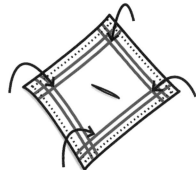

3 Demandez à un spectateur de souffler sur le torchon, Abracadabra ! Dépliez-le et montrez que le cure-dent du milieu est intact.

Conseil : ce tour demande un peu d'entraînement afin de casser le bon cure-dent.

Monsieur et madame Titouplin ont un fils, comment vont-ils l'appeler ?
R : Jean (parce que « gentil tout plein »).

Help !

Ah, ah, ah !

Hé...

Hi, hi, hi !!

Oh...

Beurk...

Hi, hi, hi !!!

PARIS

Hi, hi, hi!!!

Oh...

Ah, ah, ah !

Beurk, beurk!

Help !

Super...

Ah, ah, ah!

Hé...

PIÈGE DE CRISTAL

« PAS BESOIN D'AVOIR UNE BONNE DESCENTE POUR RÉUSSIR CE PARI. »

Pariez avec un copain que vous pouvez boire cinq grands verres d'eau avant que lui ait eu le temps de vider un seul petit verre. Mais attention, vous ne pourrez pas toucher son verre et lui ne pourra pas toucher les vôtres. Demandez-lui de vous accorder une fa-veur, en vous laissant un verre d'avance.
« À l'aise Blaise », vous répondra votre concurrent.

Ce tour est déconcertant de facilité...
Il vous suffira de boire naturellement le premier verre et puis de le re-tourner sur le petit, qui restera à jamais plein puisque votre concurrent ne peut toucher à votre piège de verre.

CHICHE QUE...

- une règle en plastique
- un morceau de papier

« IL VOUS FAUDRA ÊTRE FORT, FORT ASTUCIEUX ! »

Faites ce pari devant plusieurs personnes : « Je suis capable de soulever ce bout de papier sans même le toucher. »
Ils affirmeront naturellement que c'est impossible et que vous n'avez aucun pouvoir magique : « Cela se saurait ! »
Et pourtant c'est possible car « comme d'hab » vous avez un truc.

Dissimulez une règle en plastique dans votre manche. Frottez la règle contre votre pantalon, puis sans que personne ne puisse apercevoir la règle, approchez votre main du papier… « Et hop », il se soulève.

EXPLICATION
Le frottement de la règle « électrise » celle-ci d'une telle façon qu'elle attire les objets légers également chargés électriquement.

TOUT ENTIER

« LES CONTORSIONNISTES DE TOUS POILS APPRÉCIERONT
CE PARI QUI NE CONTORSIONNERA QU'UN PETIT BOUT
DE PAPIER. »

Posez une bague sur la table et annoncez au public que vous allez
passer tout entier à travers elle.
Personne ne voudra vous croire et pourtant... Il vous suffira d'écrire
« TOUT ENTIER » sur un bout de papier et de passer celui-ci à travers
la bague.

Qu'est-ce que c'est :

R : un mille-pattes chinois

Qu'est-ce que c'est :

R : un rat mexicain

GARE AU GOUROU !

« À L'IMPOSSIBLE NUL N'EST TENU. TRANSFORMEZ-VOUS EN GAROU, LE PASSE-CARTES POSTALES. »

Présentez-vous devant le public en tenant la carte postale. Pariez que vous êtes tout à fait capable de traverser cette carte de la tête aux pieds. Bien sûr, attendez-vous à des ricanements, mais vous vous en fichez, car vous avez un truc ! Pour cela, vous allez devoir transformer la sur-face initiale de la carte en procé-dant comme suit :

1 Pliez la carte en deux dans le sens de la longueur et découpez-y au moins 6 entailles allant jusqu'à environ 1 cm du bord opposé. Puis dans les intervalles des entailles que vous venez de créer, découpez-en d'autres de même longueur mais de l'autre côté.

2 Ouvrez la carte et coupez le long du pli de A à B.

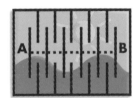

3 Dépliez délicatement la carte, vous obte-nez un grand anneau au travers duquel vous n'aurez aucun mal à passer.

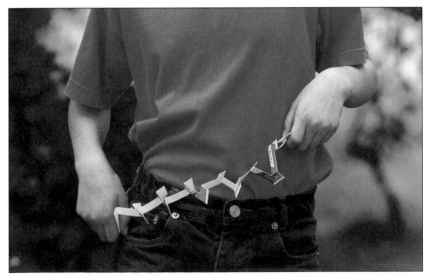

LA PIÈCE COINCÉE

« SI VOUS VOULEZ RENDRE LA MONNAIE DE SA PIÈCE À UN AMI, TENTEZ CE PARI. »

Jean-Marie dit à sa maman :
– J'ai battu un record !
– Ah bon, lequel ?
– J'ai fait ce puzzle en quinze jours, alors qu'il est écrit sur la boîte :
« de deux à trois ans ».

Demandez à quelqu'un de joindre les mains comme vous lui indiquez et défiez-le de lâcher la pièce coincée entre ses deux majeurs sans bouger un seul de ses autres doigts.

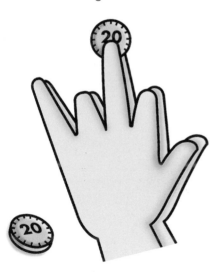

D'ores et déjà, vous pouvez considérer que vous avez gagné car il est tout simplement impossible de libérer cette pièce.

LA FORCE DU PAPIER

- une feuille de papier A4
- un livre

« À LIVRE OUVERT ET À MOTS CACHÉS, LE POIDS DES MOTS NE RÉSISTE PAS À UNE SIMPLE FEUILLE DE PAPIER. »

Jean-Marie s'adresse à son papa et lui dit :
– *Les allumettes sont bonnes cette fois.*
– *Ah oui ?*
–- *Oui, je les ai toutes essayées en route et pas une n'a raté !*

1 Annoncez à un camarade que vous allez faire tenir en équilibre un livre sur une simple feuille de papier. Il affirmera bien entendu que c'est impossible car un livre c'est bien trop lourd.

2 Voici comment procéder et gagner votre pari. Roulez la feuille en cylindre et posez le livre au sommet, si nécessaire relâchez un peu le diamètre du cylindre.
Et voilà encore un pari facilement gagné ! Si votre camarade connaissait les vertus du papier, il n'aurait pas relevé ce défi.

EXPLICATION

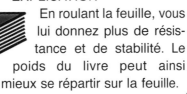

En roulant la feuille, vous lui donnez plus de résistance et de stabilité. Le poids du livre peut ainsi mieux se répartir sur la feuille.

LE MILLE FEUILLES

« VOICI UN PARI QUE VOUS ALLEZ GAGNER À COUP SÛR, C'EST RÉGLÉ COMME DU PAPIER À MUSIQUE. »

Un coiffeur à son client :
– Monsieur a les cheveux qui tombent, vous devriez y mettre quelque chose !
– C'est bien ce que je fais mon ami, j'y mets mon chapeau.

Êtes-vous capable de déchirer une feuille de papier ? Oui, je suppose !
Oui, mais quelle épaisseur de papier pouvez-vous rompre ?
Certains fanfarons prétendront pouvoir déchirer consécutivement six fois une même feuille.
Laissez-moi rire ! Remettez vite ces insolents en place en leur lançant ce défi.

Au-delà de cinq fois, l'opération devient pratiquement impossible car vous avez d'ores et déjà trente et une épaisseurs de papier.

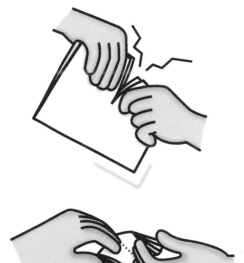

Vous voilà l'heureux vainqueur d'un pari stupide ! Ça va jaser dans les chaumières…

Voici une petite variante à ce défi : au lieu de déchirer le papier, il suffit de le plier un maximum de fois. Vous verrez, au-delà de huit fois cela devient impossible.

ATTRAPE-NIGAUD

« C'EST PAS MÉCHANT ET ÇA
FAIT SOURIRE. »

Un chameau rencontre
un dromadaire :
– Qu'est-ce que tu deviens ?
– Je bosse, et toi ?
– Je bosse, je bosse…

Faites passer ce petit test à un camarade : il devra répéter douze fois
de suite le mot gourchette et rapidement en l'articulant bien.
« Gourchette, gourchette, gourchette… »
Après quoi vous lui demanderez :
« Avec quoi manges-tu ta soupe ? »
Il y a beaucoup de chances pour qu'il vous réponde :
« Avec une fourchette. »

Voici un gentil piège pour les gourmets, il
faut juste espérer qu'ils ne soient pas
soupe au lait.

LE SOUFFLEUR

« VOICI QUI COUPERA
LE SOUFFLE À TOUS
LES PETITS MALINS. »

Dans un magasin :
– Madame, Madame, ils sont tous trop grands vos chapeaux.
– Désolée, Madame, ici c'est le rayon des abat-jour…

Il n'est pas très difficile de gonfler un ballon et pourtant…
Proposez à un copain ce défi très simple. Il devra gonfler un ballon dans une bouteille. Introduisez le ballon dans la bouteille et laissez dépasser l'embouchure du goulot.
Il pourra toujours s'époumoner à essayer de le gonfler, rien à faire le ballon restera plat comme une galette.

Quelle différence y a-t-il entre un acrobate et un importun ?
R : L'un est un peu casse-cou, l'autre est plutôt casse-pieds.

Quelle différence y a-t-il entre un menteur et une pomme cuite ?
R : Aucune, ils ne sont crus ni l'un ni l'autre.

Imprimé en Belgique.
Dépôt légal octobre 1998; D1998/0053/27
Déposé au ministère de la Justice, Paris
(loi n°49.956 du 16 juillet 1949 sur les publications destinées à la jeunesse).